Romain Coup-de-Main

TONY GARTH

MANGO *JEUNESSE*

Romain adore donner des coups de main.
Faire plaisir, c'est ça qui lui fait plaisir !
Il adore aider Maman à porter
les commissions, et Papa à tondre le gazon
du jardin. Donner un coup de main,
c'est la passion de Romain !

Il fait même les devoirs de ses copains, Romain ! Pendant que les autres jouent au ballon, il aide le maître à préparer la leçon. Bizarre, hein ?

C’est vrai, souvent, Romain en fait un peu trop… Il débarrasse le petit-déjeuner avant que ses parents n’aient commencé.
« Holà ! », gronde Papa.
« Laisse-nous le temps de manger ! »
« Je voulais juste donner un coup de main », dit Romain, tout penaud.

Une vieille dame attend sur le trottoir.
« Elle a peur de traverser », se dit Romain.
Il la prend par la main, et la tire
sur la chaussée.
« Eh ! Qu'est-ce que tu fais là ? »,
s'écrie la vieille dame. « J'attendais le car.
À cause de toi, je l'ai manqué ! »
« Je voulais juste donner un coup de main »,
dit Romain, très gêné.

Romain va chercher le chien du voisin pour
le promener. Il n'a pas l'air enchanté.
En revenant, Romain voit le voisin
qui l'attend. Il est pas du tout content !
« Le chien s'était déjà promené. Il veut
son dîner ! Et moi, je dois sortir ce soir.
À cause de toi, je suis en retard ! »
« Je voulais juste donner un coup de main »,
dit Romain, désolé.

À force de se faire gronder,
Romain Coup-de-Main a du chagrin.
« Tu n'as rien mangé », remarque Maman.
« Quelque chose t'embête ? »
« Je ne fais rien comme il faut ! »,
se plaint Romain en vidant son assiette.
« Tu en fais juste un peu trop »,
répond Maman. « Demande leur avis aux
gens avant de les aider. Et tout ira très bien ! »

« Romain ! », s'écrie Maman.
« Qu'est-ce que tu as jeté ? Je voulais garder ces petits pois pour demain ! »
« Tu vois ! Même avec toi, je ne fais rien de bien », répond Romain d'une petite voix.
Il a envie de pleurer.

« Viens voir par là », appelle Maman.
« Je vais encore me faire gronder,
c'est certain », se dit Romain, résigné.
« C'est toi qui as fait ça ? », demande Maman.
« Ça, quoi ? », répond Romain.

« C'est toi qui as cueilli ces fleurs ? »,
continue Maman.
« Oui, dans les champs, en promenant
le chien », répond Romain.
« Je voulais juste te donner un coup de main
pour décorer la maison. »
« Et tu as eu raison ! »,
dit Maman en l'embrassant.
« Elles sont très jolies. Quel bonheur d'avoir
un garçon si gentil ! »

« Viens voir ici », appelle Papa.
« C'est toi qui as fait ça ? »
« Ça, quoi ? », demande Romain.
« Nettoyer mes clubs de golf. Ils brillent comme s'ils étaient neufs ! »
« Je voulais juste te donner… », commence Romain.
« Un coup de main, je sais », continue Papa.
« Et tu as bien fait. Je ne sais pas ce que je deviendrais sans toi ! »
« Alors, je peux vous aider ? J'ai le droit ? », s'écrie Romain, fou de joie.
« Oui… Mais sans oublier de penser à toi ! »

« C'est vrai, ça », se dit Romain.
« Je peux aussi me donner un coup de main,
à moi ! »
Et au goûter, sans hésiter, il se sert un gros
morceau de gâteau au chocolat !

Ils sont terribles !

Collectionne toutes leurs aventures.

Dépôt légal : octobre 2000 – ISBN : 2 7404 1108-1
Loi 49–956 du 16 juillet 1949 sur les publications destinées à la jeunesse
Traduction : Dominique Foufelle
Imprimé en France par I.M.E.